# 팔로워를 넘어서 :
# 디지털 시대의 고유한 브랜드 만들기

**쏭프로**

(팔로워를 넘어서 : 디지털 시대의 고유한 브랜드 만들기)

| | | |
|---|---|---|
| 발행 | \| | 2024년 3월 30일 |
| 저자 | \| | (쏭프로) |
| 디자인 | \| | 어비, 미드저니 |
| 편집 | \| | 어비 |
| 펴낸이 | \| | 송태민 |
| 펴낸곳 | \| | 열린 인공지능 |
| 등록 | \| | 2023.03.09(제2023-16호) |
| 주소 | \| | 서울특별시 영등포구 영등포로 112 |
| 전화 | \| | (0505)044-0088 |
| 이메일 | \| | book@uhbee.net |

ISBN | 979-11-93116-58-6

www.OpenAIBooks.shop

# 팔로워를 넘어서 :
# 디지털 시대의 고유한 브랜드 만들기

**쏭프로**

# 목차

# 머리말

<팔로워를 넘어서: 디지털 시대의 고유한 브랜드 만들기>는 현대 디지털 환경에서 개인 브랜딩의 더 깊은 측면을 탐색하고, 피상적인 지표를 넘어서는 데 중점을 둔 책입니다. 개인의 가치관과 목표를 바탕으로 자신만의 독특한 브랜드를 만들어 나가는 방법을 제시하며 소셜 미디어를 활용한 브랜딩 전략, 콘텐츠 제작과 마케팅 전략, 디지털 환경에서의 인간관계와 네트워크 구축 등 다양한 주제를 다루고 있습니다. 이 책은 디지털 시대에 개인 브랜드를 고민하는 분들에게 큰 도움이 될 것이며 개인 브랜딩에 대한 기존의 관념에 도전하는 혁신적인 가이드가 될 것입니다. 피상적인 지표보다 진정성, 스토리텔링, 의미 있는 참여를 강조하는 자기 발견의 심오한 여정을 제시하여 디지털 영역에서 진정한 관계를 구축하는 방법을 안내합니다. 이 책은 독자들에게 수치 이상의 영향력을 측정할 것을 권장합니다. 미래 지향적인 관점으로 퍼스널 브랜딩의 지속적인 특성을 강조하며 독자들에게 끊임없는 학습과 성장을 수용하도록 권장합니다. '팔로워를 넘어서'는 실용적인 전략을 제시하여 끊임없이 진화하는 디지털 환경에서 지속적이고 영향력 있는 존재가 되고자 하는 개인에게 필수적인 나침반이 될 것입니다.

# 저자 소개

네이버 푸드 인플루언서이자 디지털 크리에이터인 <쏭프로>는 블로그, 인스타그램, 틱톡, 유튜브 등 다양한 채널에서 "쏭스푸드"라는 채널명으로 요리 콘텐츠를 만들고 있습니다. 현직 보험 컨설턴트로 금융에 대한 지식 또한 풍부합니다. 현재 메디컬 서비스인 보험금 청구센터를 운영하고 있으며 수많은 고객들을 현장에서 직접 대면하여 일을 하고 있습니다. 또한 "쏭슈런스"라는 닉네임으로 보험 관련 콘텐츠를 다루는 SNS채널을 운영하고 있으며 다양한 온라인 커뮤니티에서 활동하고 있습니다.

늘 새로운 것을 배워 누군가에게 알려주는 것을 좋아하는 저자는 지금까지 배운 다양한 분야의 지식을 통해 현재 "㈜랩파토리"에서 마케팅 이사직을 겸하고 있으며 온, 오프라인에서 만난 수많은 사람들과의 인적 네트워킹을 활용한 자신의 경험과 지식을 바탕으로 이 책을 썼습니다.

# 01
## 팔로워를 넘어서 :
## 디지털 시대의 퍼스널 브랜딩

# *- 디지털 시대의 퍼스널 브랜딩의 중요성*

디지털 시대가 되면서, 개인의 브랜드, 즉 퍼스널 브랜딩의 중요성이 더욱 커지고 있습니다. 과거에는 오프라인에서 이루어지던 대부분의 활동이 온라인으로 이동하면서, 사람들은 온라인에서 자신을 드러내고, 다른 사람들과 연결하는 데 점점 더많은 시간을 보내고 있습니다. 이러한 상황에서, 퍼스널 브랜딩은 자신의 가치를 효과적으로 전달하고, 원하는 목표를 달성하는 데 필수적인 요소가 되었습니다.

퍼스널 브랜딩은 자신의 강점과 가치를 기반으로 한 일관된 이미지를 구축하는 과정입니다. 이를 통해, 사람들은 자신을 효과적으로 표현하고, 다른 사람들에게 신뢰와 호감을 줄 수 있습니다. 퍼스널 브랜딩은 다음과 같은 다양한 측면에서 중요합니다.

## 취업과 승진

디지털 시대에는 이력서나 추천서뿐만 아니라, 온라인에서의 활동도 취업과 승진에 중요한 영향을 미칩니다. 퍼스널 브랜딩을 통해 자신의 전문성과 역량을 효과적으로 보여줄 수 있다면, 취업과 승진에서 유리한 위치를 선점할 수 있습니다.

## 사업과 창업

사업이나 창업을 위해서는 자신의 브랜드를 구축하고, 잠재 고객에게 다가가는 것이 중요합니다. 퍼스널 브랜딩을 통해 자신의 사업이나 창업의 가치를 효과적으로 전달할 수 있다면, 성공적인 비즈니스를 시작할 수 있습니다.

사회적 영향력

퍼스널 브랜딩은 자신의 의견과 가치관을 다른 사람들에게 전달하고, 사회적 영향력을 행사하는 데에도 도움이 됩니다. 퍼스널 브랜딩을 통해 자신의 영향력을 키울 수 있다면, 사회에 긍정적인 변화를 이끌어낼 수 있습니다.

디지털 시대에서 퍼스널 브랜딩을 성공적으로 수행하기 위해서는 다음과 같은 몇 가지 요소를 고려해야 합니다.

자신의 강점과 가치를 발견하라.

퍼스널 브랜딩의 시작은 자신의 강점과 가치를 발견하는 것입니다. 자신이 무엇을 잘하고, 무엇에 관심이 있는지, 어떤 가치를 지니고 있는지 생각해보고, 이를 바탕으로 자신의 브랜드를 구축해야 합니다.

명확한 브랜드 정체성을 구축하라.

자신의 강점과 가치를 발견했다면, 이를 바탕으로 명확한 브랜드 정체성을 구축해야 합니다. 브랜드 정체성은 자신의 브랜드가 무엇을 대표하고, 어떤 메시지를 전달하는지, 어떤 경험을 제공하는지를 보여주는 것입니다. 명확한 브랜드 정체성을 구축함으로써, 사람들은 자신의 브랜드를 쉽게 기억하고, 신뢰할 수 있게 됩니다.

일관된 브랜드 이미지를 유지하라.

브랜드 정체성을 구축했다면, 이를 일관되게 유지하는 것이 중요합니다. 자신의 브랜드가 다양한 채널을 통해 일관된 메시지를 전달하고, 일관된 이미지를 보여주어야 합니다. 이를 통해, 사람들은 자신의 브랜드에 대한 신뢰를 높일 수 있습니다.

양질의 콘텐츠를 제공하라.

퍼스널 브랜딩을 위해서는 양질의 콘텐츠를 제공하는 것이 중요합니다. 자신의 전문성과 역량을 보여주고, 사람들에게 유익하고 가치 있는 정보를 제공하는 콘텐츠를 제작해야 합니다.

인맥을 적극적으로 활용하라.

퍼스널 브랜딩을 위해서는 인맥을 적극적으로 활용하는 것도 중요합니다. 온라인과 오프라인에서 다양한 사람들과 관계를 맺고, 이를 통해 자신의 브랜드를 알리고, 영향력을 확대할 수 있습니다.

디지털 시대에서 퍼스널 브랜딩은 자신의 가치를 효과적으로 전달하고, 원하는 목표를 달성하는 데 필수적인 요소가 되었습니다. 자신의 강점과 가치를 발견하고, 이를 바탕으로 명확한 브랜드 정체성을 구축하고, 일관된 브랜드 이미지를 유지하며,

양질의 콘텐츠를 제공하고, 인맥을 적극적으로 활용한다면, 성공적인 퍼스널 브랜딩을 수행할 수 있을 것입니다.

- 피상적인 지표의 한계

디지털 시대의 퍼스널 브랜딩을 성공적으로 수행하기 위해서는, 자신의 강점과 가치를 기반으로 한 명확한 브랜드 정체성을 구축하는 것이 중요합니다. 그러나 최근에는 단순히 팔로워 수나 좋아요 수와 같은 피상적인 지표에만 집중하는 퍼스널 브랜딩이 늘어나고 있습니다. 이러한 퍼스널 브랜딩은 단기적인 성공을 가져올 수는 있지만, 장기적인 성공을 위해서는 한계가 있습니다.

피상적인 지표의 정의

피상적인 지표는 단순히 숫자로 표현되는 지표를 의미합니다. 대표적인 피상적인 지표로는 팔로워 수, 좋아요 수, 조회수, 댓글 수 등이 있습니다. 이러한 지표들은 퍼스널 브랜딩의 성공을 판단하는 데 널리 사용되고 있지만, 다음과 같은 한계가 있습니다.

타인의 평가에 좌우된다.

피상적인 지표는 타인의 평가에 좌우되기 쉽습니다. 예를 들어, 특정 분야에 관심이 많은 사람들이 모여 있는 커뮤니티에서 활동하는 경우, 팔로워 수가 많다고 해서 꼭 그 분야에서 전문성을 인정받는 것은 아닙니다.

단기적인 성공에만 집중하게 만든다.

피상적인 지표는 단기적인 성공에만 집중하게 만듭니다. 팔로워 수를 늘리기 위해 자극적인 콘텐츠를 제작하거나, 좋아요 수를 늘리기 위해 과장된 표현을 사용하는 등, 본질적인 가치보다는 외적인 요소에 집중하게 됩니다.

진정한 성공을 가로막는다.

피상적인 지표에만 집중하다 보면, 진정한 성공을 가로막을 수 있습니다. 진정한 성공은 자신의 강점과 가치를 바탕으로 사람들에게 인정받는 것입니다. 그러나 피상적인 지표에만 집중하다 보면, 자신의 강점과 가치를 제대로 드러내지 못하고, 일시적인 관심에만 의존하는 브랜드가 될 수 있습니다.

깊이 있는 퍼스널 브랜딩의 중요성

진정한 성공을 위해서는 깊이 있는 퍼스널 브랜딩이 필요합니다. 깊이 있는 퍼스널 브랜딩은 다음과 같은 특징을 가지고 있습니다.

자신의 강점과 가치에 기반한다.

깊이 있는 퍼스널 브랜딩은 자신의 강점과 가치에 기반합니다. 따라서, 자신의 강점과 가치를 발견하고, 이를 바탕으로 명확한 브랜드 정체성을 구축하는 것이 중요합니다.

일관된 이미지를 유지한다.

깊이 있는 퍼스널 브랜딩은 일관된 이미지를 유지합니다. 자신의 브랜드가 다양한 채널을 통해 일관된 메시지를 전달하고, 일관된 이미지를 보여야 합니다. 이를 통해, 사람들은 자신의 브랜드에 대한 신뢰를 높일 수 있습니다.

양질의 콘텐츠를 제공한다.

깊이 있는 퍼스널 브랜딩은 양질의 콘텐츠를 제공합니다. 자신의 전문성과 역량을 보여주고, 사람들에게 유익하고 가치 있는 정보를 제공하는 콘텐츠를 제작해야 합니다.

인맥을 적극적으로 활용한다.

깊이 있는 퍼스널 브랜딩은 인맥을 적극적으로 활용합니다. 온라인과 오프라인에서 다양한 사람들과 관계를 맺고, 이를 통해 자신의 브랜드를 알리고, 영향력을 확대할 수 있습니다.

디지털 시대의 퍼스널 브랜딩은 자신의 강점과 가치를 바탕으로 한 명확한 브랜드 정체성을 구축하는 것이 중요합니다. 피상적인 지표에만 집중하다 보면, 진정한 성공을 가로막을 수 있습니다. 따라서, 깊이 있는 퍼스널 브랜딩을 통해 자신의 강점과 가치를 드러내고, 사람들에게 인정받는 브랜드를 구축하는 것이 중요합니다.

다음은 피상적인 지표에만 집중하다가 실패한 퍼스널 브랜딩의 사례입니다.

A는 자신의 외모를 강조한 콘텐츠를 제작하여 많은 팔로워를 모았습니다. 그러나 A는 자신의 전문성이나 가치관을 보여주지 못했습니다. 결국, A의 브랜드는 일시적인 관심에만 의존하는 브랜드가 되었고, 장기적인 성공을 거두지는 못했습니다.

B는 자극적인 콘텐츠를 제작하여 많은 조회수를 올렸습니다. 그러나 B는 자신의 콘텐츠가 사람들에게 어떤 영향을 미치는지 고려하지 않았습니다. 결국, B의 브랜드는 사람들에게 부정적인 인식을 심어주었고, 신뢰를 잃었습니다.

이러한 사례를 통해 알 수 있듯이, 피상적인 지표에만 집중한 퍼스널 브랜딩은 장기적인 성공을 가로막을 수 있습니다. 따라서, 퍼스널 브랜딩을 성공적으로 수행하기 위해서는 자신의 강점과 가치를 바탕으로 한 깊이 있는 퍼스널 브랜딩을 수행하는 것이 중요합니다.

## - 깊이 있는 퍼스널 브랜딩의 필요성

디지털 시대의 퍼스널 브랜딩은 단순히 자신의 존재를 알리는 데 그치는 것이 아니라, 자신의 강점과 가치를 바탕으로 한 명확한 브랜드 정체성을 구축하는 과정입니다. 깊이 있는 퍼스널 브랜딩이 필요한 이유는 다음과 같습니다.

## 진정한 성공을 위한 기반

피상적인 지표에만 집중한 퍼스널 브랜딩은 단기적인 성공을 가져올 수는 있지만, 진정한 성공을 위한 기반이 될 수 없습니다. 진정한 성공은 자신의 강점과 가치를 바탕으로 사람들에게 인정받는 것입니다. 깊이 있는 퍼스널 브랜딩을 통해 자신의 강점과 가치를 드러내고, 사람들에게 신뢰와 호감을 얻을 수 있다면, 진정한 성공을 거둘 수 있습니다.

## 장기적인 영향력 발휘

깊이 있는 퍼스널 브랜딩은 장기적인 영향력을 발휘할 수 있습니다. 피상적인 지표에만 집중한 퍼스널 브랜딩은 일시적인 관심에만 의존하기 쉽습니다. 그러나 깊이 있는 퍼스널 브랜딩을 통해 구축한 브랜드는 사람들에게 신뢰와 호감을 얻기 때문에, 장기적인 영향력을 발휘할 수 있습니다.

## 자기 성장과 발전

깊이 있는 퍼스널 브랜딩은 자기 성장과 발전에 도움이 됩니다. 자신의 강점과 가치를 발견하고, 이를 바탕으로 명확한 브랜드 정체성을 구축하는 과정은 자기 성찰과 자기 계발을 위한 좋은 기회가 됩니다. 깊이 있는 퍼스널 브랜딩을 통해 자신의 역량을 강화하고, 성장할 수 있습니다.

깊이 있는 퍼스널 브랜딩은 개인의 가치관과 목표를 바탕으로, 자신만의 독특한 브랜드를 만들어 나가는 것입니다. 이를 위해서는 다음과 같은 요소들이 필요합니다.

자기 분석: 자신의 강점과 약점, 가치관과 목표를 파악하고, 이를 바탕으로 자신만의 브랜드를 만들어 나가야 합니다.

콘텐츠 제작: 자신의 강점을 바탕으로, 자신만의 독특한 콘텐츠를 제작해야 합니다. 이를 통해 자신의 브랜드를 알리고, 팔로워들과 소통할 수 있습니다.

네트워크 구축: 자신의 브랜드를 알리고, 팔로워들과 소통하기 위해서는 네트워크 구축이 필요합니다. 이를 위해서는 소셜 미디어를 활용하거나, 오프라인 모임에 참여하는 등의 방법을 활용할 수 있습니다.

자기계발: 자신의 브랜드를 강화하기 위해서는 자기계발이 필요합니다. 이를 위해서는 독서나 강의를 수강하는 등의 방법을 활용할 수 있습니다.

위기 관리: 자신의 브랜드를 운영하다 보면, 위기 상황이 발생할 수 있습니다. 이를 위해서는 위기 상황에 대한 대처 능력을 갖추고, 빠르게 대처해야 합니다.

지속적인 발전: 자신의 브랜드를 지속적으로 발전시키기 위해서는 지속적인 노력이 필요합니다. 이를 위해서는 자신의 목표를 세우고, 이를 달성하기 위해 노력해야 합니다.

이러한 요소들을 고려하여 깊이 있는 퍼스널 브랜딩을 수행하면, 자신의 브랜드 가치를 높이고, 성공적인 삶을 살아갈 수 있습니다.

# 02
# 자신의 강점과 가치를 발견하라

퍼스널 브랜딩의 시작은 자신의 강점과 가치를 발견하는 것입니다. 자신의 강점과 가치를 발견하지 못하면, 자신의 브랜드 정체성을 명확하게 정립할 수 없고, 이를 바탕으로 한 퍼스널

브랜딩을 수행하기 어렵습니다.

## 자신의 강점과 가치를 발견하는 방법

자신이 살아온 삶을 되돌아보고, 자신의 경험을 통해 얻은 것들을 생각해 보세요. 자신의 경험을 통해 얻은 것들은 자신의 강점과 가치를 발견하는 데 도움이 됩니다.

자신이 이루고 싶은 목표와 꿈을 생각해 보세요. 자신의 목표와 꿈은 자신의 강점과 가치를 기반으로 이루어져야 합니다.

자신이 가지고 있는 성격과 자질을 생각해 보세요. 자신의 성격과 자질은 자신의 강점과 가치를 반영합니다.

자신이 가지고 있는 전문성과 기술을 생각해 보세요. 자신의 전문성과 기술은 자신의 강점과 가치를 바탕으로 개발되고 발전되어 왔습니다.

## 자신의 강점과 가치를 발견하는 중요성

자신의 브랜드 정체성을 명확하게 정립할 수 있습니다.

자신의 강점과 가치를 발견하면, 자신의 브랜드가 무엇을 대표하고, 어떤 메시지를 전달하며, 어떤 경험을 제공하는지 명확하게 정립할 수 있습니다.

자신의 진정한 목표와 방향을 설정할 수 있습니다.

자신의 강점과 가치를 발견하면, 자신의 진정한 목표와 방향을 설정할 수 있습니다. 자신의 강점과 가치를 바탕으로 자신의 꿈과 목표를 달성하기 위한 구체적인 계획을 세울 수 있습니다.

자신의 자신감을 높일 수 있습니다.

자신의 강점과 가치를 발견하면, 자신의 자신감을 높일 수 있습니다. 자신의 강점과 가치를 인지하고, 이를 바탕으로 자신만의 길을 개척해 나갈 수 있습니다.

### 자신의 강점과 가치를 발견하는 실천 방법

자신의 경험을 기록해 보세요.

자신이 살아온 삶을 되돌아보면서, 자신의 경험을 기록해 보세요. 자신의 경험을 기록하는 과정에서 자신의 강점과 가치를 발견할 수 있습니다.

자신의 목표와 꿈을 구체화하세요.

자신이 이루고 싶은 목표와 꿈을 구체화하세요. 자신의 목표와 꿈을 구체화하는 과정에서 자신의 강점과 가치를 발견할 수 있습니다.

자신의 성격과 자질을 분석하세요.

자신이 가지고 있는 성격과 자질을 분석하세요. 자신의 성격과 자질을 분석하는 과정에서 자신의 강점과 가치를 발견할 수 있습니다.

자신의 전문성과 기술을 개발하세요.

자신이 가지고 있는 전문성과 기술을 개발하세요. 자신의 전문성과 기술을 개발하는 과정에서 자신의 강점과 가치를 발견할 수 있습니다.

자신의 강점과 가치를 발견하는 것은 퍼스널 브랜딩의 시작이자, 자기 성장과 발전을 위한 중요한 과정입니다. 자신의 강점과 가치를 발견하기 위해 꾸준히 노력하고, 성찰하세요.

**자신의 강점과 가치를 발견하는 데 도움이 되는 질문**

내가 잘하는 것은 무엇인가?

이 질문은 자신의 강점을 발견하는 데 가장 기본적인 질문입니다. 자신이 잘하는 일을 생각해 보고, 그 일을 잘하는 이유를 분석해 보세요.

내가 좋아하는 것은 무엇인가?

이 질문은 자신의 가치를 발견하는 데 도움이 되는 질문입니다. 자신이 좋아하는 일을 생각해 보고, 그 일을 좋아하는 이유를 분석해 보세요.

내가 중요하게 생각하는 것은 무엇인가?

이 질문은 자신의 가치를 발견하는 데 더 구체적인 정보를 제공하는 질문입니다. 자신이 중요하게 생각하는 가치를 생각해 보고, 그 가치가 왜 중요한지 분석해 보세요.

내가 잘하는 일을 할 때 어떤 느낌이 드나요?

이 질문은 자신의 강점이 자신에게 어떤 의미를 갖는지 이해하는 데 도움이 되는 질문입니다. 자신이 잘하는 일을 할 때 어떤 느낌이 드는지 생각해 보고, 그 느낌이 자신의 삶에 어떤 영향을 미치는지 분석해 보세요.

내가 좋아하는 일을 할 때 어떤 느낌이 드나요?

이 질문은 자신의 가치가 자신에게 어떤 의미를 갖는지 이해하는 데 도움이 되는 질문입니다. 자신이 좋아하는 일을 할 때 어떤 느낌이 드는지 생각해 보고, 그 느낌이 자신의 삶에 어떤 영향을 미치는지 분석해 보세요.

내가 잘하는 일을 통해 다른 사람들에게 어떤 영향을 미치고 싶나요?

이 질문은 자신의 강점이 사회에 어떤 기여를 할 수 있는지 생각해 보는 질문입니다. 자신이 잘하는 일을 통해 다른 사람들에게 어떤 영향을 미치고 싶은지 생각해 보고, 그 영향이 사회에 어떤 의미를 갖는지 분석해 보세요.

내가 좋아하는 일을 통해 다른 사람들에게 어떤 영향을 미치고 싶나요?

이 질문은 자신의 가치가 사회에 어떤 기여를 할 수 있는지 생각해 보는 질문입니다. 자신이 좋아하는 일을 통해 다른 사람들에게 어떤 영향을 미치고 싶은지 생각해 보고, 그 영향이 사회에 어떤 의미를 갖는지 분석해 보세요.

이러한 질문에 답하면서 자신의 강점과 가치를 발견해 보세요. 자신의 강점과 가치를 발견하는 데는 시간이 걸릴 수 있지만, 꾸준히 노력하고 성찰한다면 분명히 발견할 수 있을 것입니다.

# 03
# 명확한 브랜드 정체성을 구축하라

퍼스널 브랜딩의 핵심은 명확한 브랜드 정체성을 구축하는 것입니다. 브랜드 정체성은 브랜드가 무엇을 대표하고, 어떤 메시지를 전달하며, 어떤 경험을 제공하는지를 나타내는 것입니다.

# - 브랜드는 무엇을 대표하는가?

브랜드가 무엇을 대표하는지는 브랜드의 가치와 철학을 나타냅니다. 브랜드의 가치와 철학은 브랜드가 추구하는 바를 명확하게 나타내야 합니다.

예를 들어, "친절하고 따뜻한 서비스"를 대표하는 브랜드라면, 다음과 같은 가치와 철학을 가질 수 있습니다.

고객을 가족처럼 생각한다.

고객의 입장에서 생각한다.

고객에게 감동을 선사한다.

이러한 가치와 철학을 바탕으로, 브랜드는 고객에게 친절하고 따뜻한 경험을 제공하기 위해 노력할 것입니다.

또 다른 예로, "더 나은 세상을 만드는 것"을 대표하는 브랜드라면, 다음과 같은 가치와 철학을 가질 수 있습니다.

환경을 보호한다.

사회적 약자를 배려한다.

지속 가능한 발전을 추구한다.

이러한 가치와 철학을 바탕으로, 브랜드는 고객에게 더 나은 세상을 만드는 데 도움이 되는 제품이나 서비스를 제공하기 위해 노력할 것입니다.

# *- 브랜드는 어떤 메시지를 전달하는가?*

브랜드가 어떤 메시지를 전달하는지는 브랜드의 목표와 비전을 나타냅니다. 브랜드의 목표와 비전은 브랜드가 이루고 싶은 바를 명확하게 나타내야 합니다.

예를 들어, "더 많은 사람들에게 사랑받는 작가가 되는 것"을 목표로 하는 브랜드라면, 다음과 같은 메시지를 전달할 수 있습니다.

"감동과 위로를 주는 작품을 쓰겠습니다."

"누구나 쉽게 즐길 수 있는 작품을 쓰겠습니다."

"더 많은 사람들이 책을 읽는 세상을 만들겠습니다."

이러한 메시지를 전달함으로써, 브랜드는 더 많은 사람들에게 사랑받는 작가가 되기 위해 노력할 것입니다.

또 다른 예로, "새로운 패러다임을 제시하는 기업이 되는 것"을 비전으로 하는 브랜드라면, 다음과 같은 메시지를 전달할 수 있습니다.

"기존의 방식을 뛰어넘는 새로운 제품과 서비스를 개발하겠습니다."

"고객의 삶을 변화시키는 혁신을 이루겠습니다."

"더 나은 세상을 만드는 데 기여하겠습니다."

이러한 메시지를 전달함으로써, 브랜드는 새로운 패러다임을 제시하는 기업이 되기 위해 노력할 것입니다.

- 브랜드는 어떤 경험을 제공하는가?

브랜드가 어떤 경험을 제공하는지는 브랜드의 차별화된 가치를 나타냅니다. 브랜드의 차별화된 가치는 브랜드가 다른 브랜드와 차별되는 독특한 경험을 제공해야 한다는 것입니다.

예를 들어, "다른 사람과는 다른 독특한 경험을 제공하는 것"을 차별화된 가치로 하는 브랜드라면, 다음과 같은 경험을 제공할 수 있습니다.

고객의 참여를 유도하는 이벤트와 프로모션을 진행한다.

고객의 의견을 적극적으로 수렴하여 제품과 서비스를 개선한다.

고객과 소통하는 다양한 채널을 마련한다.

이러한 경험을 제공함으로써, 브랜드는 다른 브랜드와 차별화되는 독특한 경험을 제공할 수 있습니다.

또 다른 예로, "고객의 삶을 풍요롭게 만드는 경험을 제공하는 것"을 차별화된 가치로 하는 브랜드라면, 다음과 같은 경험을 제공할 수 있습니다.

고객의 관심사와 필요를 파악하여 맞춤형 서비스를 제공한다.

고객의 삶에 도움이 되는 정보와 콘텐츠를 제공한다.

고객의 꿈과 목표를 이루도록 지원한다.

이러한 경험을 제공함으로써, 브랜드는 고객의 삶을 풍요롭게 만드는 경험을 제공할 수 있습니다.

위의 예시들은 단순한 예시에 불과합니다. 자신의 강점과 가치, 타깃 고객, 목표와 비전을 고려하여 자신만의 명확한 브랜드 정체성을 구축하기 바랍니다.

# 04
# 진정성으로 소통하기

## - *진정성의 중요성*

진정성은 퍼스널 브랜딩에서 가장 중요한 요소 중 하나입니다. 진정성 있는 소통은 타인에게 신뢰와 호감을 줄 수 있으며, 이는 퍼스널 브랜딩의 성공에 필수적입니다.

진정성의 중요성은 다음과 같은 이유에서 비롯됩니다.

진정성은 신뢰를 구축합니다.

진정성 있는 소통은 타인에게 진실하고 진실된 사람이라는 인상을 줍니다. 진정성 있는 사람은 자신의 생각과 감정을 솔직하게 표현하고, 타인의 생각과 감정을 존중합니다. 이러한 진정성 있는 태도는 타인에게 신뢰를 줄 수 있습니다.

진정성은 호감을 줍니다.

진정성 있는 소통은 타인에게 친근하고 편안한 느낌을 줍니다. 진정성 있는 사람은 자신의 진정한 모습을 보여주기 때문에, 타인과 공감하고 소통하기 쉽습니다. 이러한 진정성 있는 모습은 타인에게 호감을 줄 수 있습니다.

진정성은 영향력을 발휘합니다.

진정성 있는 소통은 타인에게 감동을 주고 영감을 줍니다. 진정성 있는 사람은 자신의 가치관과 신념을 바탕으로 행동하기 때문에, 타인에게 긍정적인 영향을 미칠 수 있습니다. 이러한 진정성 있는 모습은 타인에게 영향력을 발휘할 수 있습니다.


## - 진정성으로 소통하기

진정성 있는 소통을 위해서는 먼저 자신의 진정한 모습을 이해하는 것이 중요합니다. 자신의 가치관, 관심사, 목표 등을 명확히 이해해야 진정성 있는 소통을 할 수 있습니다. 또한, 타인의 입장에서 생각하고 타인의 마음을 이해하려는 노력도 필요합니다. 타인의 입장에서 생각하고 타인의 마음을 이해해야 진정성 있는 소통을 통해 타인과 공감하고 소통할 수 있습니다.

진정성 있는 소통을 위한 구체적인 실천 방법은 다음과 같습니다.

자신의 진정한 모습을 표현하세요.

자신의 가치관, 관심사, 목표 등을 진솔하게 표현하세요. 자신의 진정한 모습을 표현함으로써 타인에게 진정성 있는 모습을 보여줄 수 있습니다.

타인의 입장에서 생각하세요.

타인의 입장에서 생각하고 타인의 마음을 이해하려고 노력하세요. 타인의 입장에서 생각함으로써 타인과 공감하고 소통할 수 있습니다.

솔직하고 정직하세요.

솔직하고 정직하게 소통하세요. 솔직하고 정직하게 소통함으로써 타인에게 진정성 있는 모습을 보여줄 수 있습니다.

진정성은 퍼스널 브랜딩의 성공을 위한 필수 요소입니다. 진정성 있는 소통을 통해 타인에게 신뢰와 호감을 얻고, 영향력을 발휘하세요.

다음은 진정성 있는 소통의 중요성을 보여주는 구체적인 예시들입니다.

## 정치인

정치인은 국민의 신뢰를 얻어야 성공할 수 있습니다. 따라서 정치인은 진정성 있는 소통을 통해 국민의 신뢰를 얻기 위해 노력합니다. 예를 들어, 정치인은 자신의 약점과 실수를 솔직하게 인정하거나, 국민의 어려움을 공감하고 해결하기 위해 노력하는 모습을 보여주는 등의 진정성 있는 소통을 통해 국민의 신뢰를 얻을 수 있습니다.

## 기업

기업은 고객의 신뢰를 얻어야 성공할 수 있습니다. 따라서 기업은 진정성 있는 소통을 통해 고객의 신뢰를 얻기 위해 노력합니다. 예를 들어, 기업은 제품의 품질과 안전성을 강조하거나, 고객의 의견을 적극적으로 수렴하여 제품과 서비스를 개선하는 등의 진정성 있는 소통을 통해 고객의 신뢰를 얻을 수 있습니다.

## 개인

개인은 타인의 신뢰와 호감을 얻어야 성공적인 인간관계를 유지할 수 있습니다. 따라서 개인은 진정성 있는 소통을 통해 타인의 신뢰와 호감을 얻기 위해 노력합니다. 예를 들어, 개인은 자신의 진정한 모습을 표현하거나, 타인의 입장에서 생각하고 타인의 마음을 이해하려는 노력하는 등의 진정성 있는 소통을 통해 타인의 신뢰와 호감을 얻을 수 있습니다.

- 진정성의 요소

진정성은 타인에게 신뢰와 호감을 줄 수 있는 중요한 요소입니다. 진정성 있는 소통을 위해서는 다음과 같은 요소들을 바탕으로 해야 합니다.

자신의 진정한 모습을 표현한다.

진정성 있는 소통을 위해서는 자신의 진정한 모습을 표현하는 것이 중요합니다. 자신의 가치관, 관심사, 목표 등을 진솔하게 표현함으로써 타인에게 진정성 있는 모습을 보여줄 수 있습니다.

예를 들어, 음악가를 꿈꾸는 사람이라면 "저는 음악을 통해 세상을 변화시키고 싶습니다."라고 말씀하실 수 있습니다. 이러한 말씀은 자신의 진정한 꿈과 열정을 보여줄 수 있으며, 타인에게 신뢰와 호감을 줄 수 있습니다.

타인의 입장에서 생각한다.

진정성 있는 소통을 위해서는 타인의 입장에서 생각하는 것이 중요합니다. 타인의 입장에서 생각하고 타인의 마음을 이해하려고 노력함으로써 타인과 공감하고 소통할 수 있습니다.

예를 들어, 판매 직원이라면 "고객의 입장에서 생각하고, 고객의 필요를 충족시키는 제품을 개발하겠습니다."라고 말씀하실 수 있습니다. 이러한 말씀은 고객의 입장을 우선적으로 생각하는 모습을 보여줄 수 있으며, 고객의 신뢰를 얻을 수 있습니다.

솔직하고 정직하다.

진정성 있는 소통을 위해서는 솔직하고 정직해야 합니다. 솔직하고 정직하게 소통함으로써 타인에게 신뢰와 호감을 줄 수 있습니다.

예를 들어, 실수를 했다고 인정하는 것은 솔직하고 정직한 태도를 보여주는 것입니다. 이러한 태도는 타인에게 신뢰를 줄 수 있으며, 타인과 더 좋은 관계를 형성할 수 있게 도와줍니다.

일관된 태도를 유지한다.

진정성 있는 소통을 위해서는 말과 행동이 일관되도록 노력해야 합니다. 말과 행동이 일관되게 유지된다면, 타인에게 진정성 있는 사람이라는 인상을 줄 수 있습니다.

예를 들어, 평소에 말씀하시는 것처럼 행동하고, 행동으로 보여주시는 것은 일관된 태도를 유지하는 것입니다. 이러한 태도는 타인에게 신뢰와 호감을 줄 수 있습니다.

책임을 진다.

진정성 있는 소통을 위해서는 자신의 행동에 책임을 지고, 책임을 다해야 합니다. 자신의 행동에 책임을 지면, 타인에게 신뢰와 호감을 줄 수 있습니다.

예를 들어, 실수를 했으니, 제가 책임지고 해결하겠습니다. 라고 말씀하시는 것은 책임을 지는 태도를 보여주는 것입니다. 이러한 태도는 타인에게 신뢰를 줄 수 있으며, 타인과의 관계를 개선할 수 있게 도와줍니다.

성장을 추구한다.

진정성 있는 소통을 위해서는 항상 새로운 것을 배우고, 성장하려고 노력해야 합니다. 성장을 추구하는 모습은 타인에게 신뢰와 호감을 줄 수 있습니다.

예를 들어, 끊임없이 공부하고, 발전하는 모습을 보여주시는 것은 성장을 추구하는 태도를 보여주는 것입니다. 이러한 태도는 타인에게 신뢰를 줄 수 있으며, 타인에게도 좋은 영향을 줄 수 있습니다.

긍정적인 태도를 유지한다.

진정성 있는 소통을 위해서는 긍정적인 태도를 유지해야 합니다. 긍정적인 태도를 유지하면, 타인에게 신뢰와 호감을 줄 수 있습니다.

예를 들어, 어려운 상황에서도 긍정적인 생각을 가지고, 문제를 해결하려고 노력하는 것은 긍정적인 태도를 보여주는 것입니다. 이러한 태도는 타인에게 신뢰를 줄 수 있으며, 타인에게도 긍정적인 에너지를 전할 수 있습니다.

공감 능력을 키운다.

진정성 있는 소통을 위해서는 타인의 감정을 이해하고, 공감할 수 있어야 합니다. 공감 능력을 키우면, 타인과 더 깊은 관계를 형성할 수 있습니다.

예를 들어, 타인의 입장에서 생각하고, 공감하는 모습을 보이는 것은 공감 능력을 보여주는 것입니다. 이러한 태도는 타인에게 신뢰와 호감을 줄 수 있으며, 타인과 더 좋은 관계를 형성할 수 있게 도와줍니다.

이러한 요소들을 바탕으로 진정성 있는 소통을 한다면, 타인에게 신뢰와 호감을 줄 수 있으며, 영향력을 발휘할 수 있을 것입니다.

# 05
# 양질의 콘텐츠를 제공하라

## - 독자에게 가치를 제공하는 콘텐츠를 제작하라

콘텐츠 제작자라면 누구나 독자에게 가치를 제공하는 콘텐츠를 제작하고 싶어 합니다. 가치 있는 콘텐츠는 독자의 관심을 끌고, 이해를 돕고, 행동을 유도할 수 있습니다.

가치 있는 콘텐츠를 제작하기 위해서는 다음과 같은 요소들을 고려해야 합니다.

독자의 니즈를 파악하세요. 독자가 어떤 정보를 필요로 하고, 어떤 점을 알고 싶어 하는지 파악해야 합니다.

객관적이고 정확한 정보를 제공하세요. 허위 정보나 편향된 정보를 제공하면 독자의 신뢰를 잃을 수 있습니다.

명확하고 이해하기 쉬운 언어를 사용 하세요. 어려운 전문 용어나 복잡한 문장을 사용하면 독자가 이해하기 어려울 수 있습니다.

흥미롭고 유익한 콘텐츠를 제작하세요. 독자의 관심을 끌고, 궁금증을 유발할 수 있는 콘텐츠를 제작해야 합니다.

독자와의 소통을 통해 콘텐츠를 개선하세요. 독자의 피드백을 수렴하여 콘텐츠를 개선하면 더욱 가치 있는 콘텐츠를 제작할 수 있습니다.

구체적인 예시는 다음과 같습니다.

1.정보 제공형 콘텐츠

독자에게 유용한 정보를 제공하는 콘텐츠입니다. 예를 들어, 자신이 관심 있는 분야에 대한 정보를 제공하거나, 자신이 경험한 일을 바탕으로 조언을 제공하는 등의 방법을 활용할 수 있습니다.

2.공감형 콘텐츠

독자의 공감을 이끌어내는 콘텐츠입니다. 예를 들어, 자신이 경험한 일을 바탕으로 독자의 공감을 이끌어내는 등의 방법을 활용할 수 있습니다.

## 3.문제 해결형 콘텐츠

독자의 문제를 해결하는 데 도움을 주는 콘텐츠입니다. 예를 들어, 자신이 경험한 문제를 해결하는 방법을 제공하거나, 독자가 겪고 있는 문제를 해결하는 데 도움을 주는 등의 방법을 활용할 수 있습니다.

## 5.동기부여형 콘텐츠

독자에게 동기를 부여하는 콘텐츠입니다. 예를 들어, 자신이 목표를 달성한 경험을 공유하거나, 독자가 목표를 달성할 수 있도록 조언을 제공하는 등의 방법을 활용할 수 있습니다.

## 6.엔터테인먼트형 콘텐츠

독자에게 즐거움을 제공하는 콘텐츠입니다. 예를 들어, 자신이 좋아하는 취미나 관심사를 공유하거나, 독자가 즐길 수 있는 콘텐츠를 제공하는 등의 방법을 활용할 수 있습니다.

위와 같은 방법을 활용하여 독자에게 가치를 제공하는 콘텐츠를 제작하면, 독자의 관심을 끌 수 있고, 독자와의 소통을 통해 자신의 브랜드를 강화할 수 있습니다.

진정성의 중요성은 다음과 같은 이유에서 비롯됩니다.

진정성은 신뢰를 구축합니다.

진정성 있는 소통은 타인에게 진실하고 진실된 사람이라는 인상을 줍니다. 진정성 있는 사람은 자신의 생각과 감정을 솔직하게 표현하고, 타인의 생각과 감정을 존중합니다. 이러한 진정성 있는 태도는 타인에게 신뢰를 줄 수 있습니다.

진정성은 호감을 줍니다.

진정성 있는 소통은 타인에게 친근하고 편안한 느낌을 줍니다. 진정성 있는 사람은 자신의 진정한 모습을 보여주기 때문에, 타인과 공감하고 소통하기 쉽습니다. 이러한 진정성 있는 모습은 타인에게 호감을 줄 수 있습니다.

진정성은 영향력을 발휘합니다.

진정성 있는 소통은 타인에게 감동을 주고 영감을 줍니다. 진정성 있는 사람은 자신의 가치관과 신념을 바탕으로 행동하기 때문에, 타인에게 긍정적인 영향을 미칠 수 있습니다. 이러한 진정성 있는 모습은 타인에게 영향력을 발휘할 수 있습니다.

진정성 있는 소통을 위해서는 먼저 자신의 진정한 모습을 이해하는 것이 중요합니다. 자신의 가치관, 관심사, 목표 등을 명확히 이해해야 진정성 있는 소통을 할 수 있습니다. 또한, 타인의 입장에서 생각하고 타인의 마음을 이해하려는 노력도 필요합니다. 타인의 입장에서 생각하고 타인의 마음을 이해해야 진정성 있는 소통을 통해 타인과 공감하고 소통할 수 있습니다.

진정성 있는 소통을 위한 구체적인 실천 방법은 다음과 같습니다.

자신의 진정한 모습을 표현하세요.

자신의 가치관, 관심사, 목표 등을 진솔하게 표현하세요. 자신의 진정한 모습을 표현함으로써 타인에게 진정성 있는 모습을 보여줄 수 있습니다.

타인의 입장에서 생각하세요.

타인의 입장에서 생각하고 타인의 마음을 이해하려고 노력하세요. 타인의 입장에서 생각함으로써 타인과 공감하고 소통할 수 있습니다.

솔직하고 정직하세요.

솔직하고 정직하게 소통하세요. 솔직하고 정직하게 소통함으로써 타인에게 진정성 있는 모습을 보여줄 수 있습니다.

진정성은 퍼스널 브랜딩의 성공을 위한 필수 요소입니다. 진정성 있는 소통을 통해 타인에게 신뢰와 호감을 얻고, 영향력을 발휘하세요.

다음은 진정성 있는 소통의 중요성을 보여주는 구체적인 예시들입니다.

정치인

정치인은 국민의 신뢰를 얻어야 성공할 수 있습니다. 따라서 정치인은 진정성 있는 소통을 통해 국민의 신뢰를 얻기 위해 노력합니다. 예를 들어, 정치인은 자신의 약점과 실수를 솔직하게 인정하거나, 국민의 어려움을 공감하고 해결하기 위해 노력하는 모습을 보여주는 등의 진정성 있는 소통을 통해 국민의 신뢰를 얻을 수 있습니다.

기업

기업은 고객의 신뢰를 얻어야 성공할 수 있습니다. 따라서 기업은 진정성 있는 소통을 통해 고객의 신뢰를 얻기 위해 노력합니다. 예를 들어, 기업은 제품의 품질과 안전성을 강조하거나, 고객의 의견을 적극적으로 수렴하여 제품과 서비스를 개선하는 등의 진정성 있는 소통을 통해 고객의 신뢰를 얻을 수 있습니다.

개인

개인은 타인의 신뢰와 호감을 얻어야 성공적인 인간관계를 유지할 수 있습니다. 따라서 개인은 진정성 있는 소통을 통해 타인의 신뢰와 호감을 얻기 위해 노력합니다. 예를 들어, 개인은 자신의 진정한 모습을 표현하거나, 타인의 입장에서 생각하고 타인의 마음을 이해하려는 노력하는 등의 진정성 있는 소통을 통해 타인의 신뢰와 호감을 얻을 수 있습니다.

# - 콘텐츠의 품질과 일관성을 유지하라

콘텐츠 제작자는 누구나 자신의 콘텐츠가 높은 품질을 유지하고, 일관성을 갖기를 바랍니다. 높은 품질과 일관성을 갖춘 콘텐츠는 독자의 신뢰를 얻고, 지속적으로 사랑받을 수 있기 때문입니다.

콘텐츠의 품질을 높이기 위해서는 다음과 같은 요소들을 고려해야 합니다.

콘텐츠의 목적과 목표를 명확히 하라.

콘텐츠를 제작하는 목적과 목표를 명확히 하면, 콘텐츠의 방향성을 설정하고, 콘텐츠의 품질을 높이는 데 도움이 됩니다.

신뢰할 수 있는 정보를 제공하라.

허위 정보나 편향된 정보를 제공하면 독자의 신뢰를 잃을 수 있습니다. 신뢰할 수 있는 정보를 제공하기 위해서는, 다양한 출처의 정보를 검증하고, 최신 정보를 제공해야 합니다.

독자의 니즈를 파악하라.

독자가 어떤 정보를 필요로 하고, 어떤 점을 알고 싶어 하는지 파악해야 합니다. 독자의 니즈를 파악하기 위해서는, 독자 조사를 실시하거나, 독자와의 소통을 통해 정보를 얻을 수 있습니다.

흥미롭고 유익한 콘텐츠를 제작하라.

독자의 관심을 끌고, 궁금증을 유발할 수 있는 콘텐츠를 제작해야 합니다. 흥미롭고 유익한 콘텐츠를 제작하기 위해서는, 독자의 관심사를 고려하고, 다양한 형식과 기법을 활용해야 합니다.

콘텐츠의 일관성을 유지하기 위해서는 다음과 같은 요소들을 고려해야 합니다.

콘텐츠의 형식과 구성을 통일하라. 콘텐츠의 형식과 구성을 통일하면, 독자가 콘텐츠를 쉽게 이해하고, 콘텐츠에 대한 신뢰를 높일 수 있습니다.

콘텐츠의 스타일과 분위기를 유지하라.

콘텐츠의 스타일과 분위기를 유지하면, 독자가 콘텐츠에 대한 친숙함을 느끼고, 콘텐츠에 대한 몰입도를 높일 수 있습니다.

콘텐츠의 언어와 표현을 일관되게 사용하라.

콘텐츠의 언어와 표현을 일관되게 사용하면, 독자가 콘텐츠를 쉽게 이해하고, 콘텐츠에 대한 신뢰를 높일 수 있습니다.

콘텐츠의 품질과 일관성을 유지하기 위해서는, 콘텐츠 제작자의 노력과 꾸준한 노력이 필요합니다. 콘텐츠 제작자는 콘텐츠 제작에 대한 철학과 신념을 가지고, 콘텐츠 제작에 최선을 다해야 합니다. 또한, 콘텐츠 제작에 대한 피드백을 수렴하고, 피드백을 통해 콘텐츠의 품질과 일관성을 개선하기 위한 노력을 해야 합니다.

다음은 콘텐츠의 품질과 일관성을 유지하기 위한 실질적인 도움이 되는 몇 가지 팁입니다.

콘텐츠 제작에 앞서, 콘텐츠 제작 계획을 세워라.

콘텐츠 제작 계획을 세우면, 콘텐츠의 목적과 목표를 명확히 하고, 콘텐츠의 방향성을 설정하는 데 도움이 됩니다.

콘텐츠 제작에 필요한 자료를 충분히 수집하라.

다양한 출처의 정보를 검증하고, 최신 정보를 수집하면, 신뢰할 수 있는 정보를 제공할 수 있습니다.

콘텐츠 제작에 대한 테스트를 실시하라.

콘텐츠 제작에 대한 테스트를 실시하면, 콘텐츠의 품질과 일관성을 개선할 수 있는 부분을 발견하고, 개선할 수 있습니다.

콘텐츠의 품질과 일관성을 유지하기 위한 노력을 통해, 독자의 신뢰를 얻고, 지속적으로 사랑받는 콘텐츠를 제작할 수 있기를 바랍니다.

# 06
# 온라인과 오프라인에서 관계를
# 구축하라

# - 온라인 커뮤니티에 참여하라

온라인 커뮤니티는 공통 관심사를 가진 사람들이 모여 소통하고 정보를 공유하는 공간입니다. 온라인 커뮤니티에 참여하면 다양한 사람들과 교류하고, 새로운 지식을 얻을 수 있으며, 자신의 의견을 표현하고, 소속감을 느낄 수 있습니다. 특히, 온라인 커뮤니티는 오프라인에서 만날 수 없는 사람들과도 관계를 구축할 수 있는 좋은 기회를 제공합니다.

온라인 커뮤니티에서 관계를 구축하기 위한 방법

공통 관심사를 중심으로 소통하세요.

온라인 커뮤니티의 가장 큰 장점은 공통 관심사를 가진 사람들과 쉽게 소통할 수 있다는 것입니다. 따라서, 자신의 관심사에 맞는 커뮤니티를 찾아서 참여하고, 다른 회원들과 공통 관심사를 중심으로 소통하는 것이 중요합니다. 예를 들어, 요리에 관심이 있는 사람이라면, 요리 관련 커뮤니티에 참여하여 다른 회원들과 요리 레시피를 공유하거나, 요리 관련 정보를 나눌 수 있습니다.

적극적으로 참여하세요.

온라인 커뮤니티에서 관계를 구축하려면, 단순히 글을 읽는 것만으로는 부족합니다. 게시물에 댓글을 달거나, 질문을 올리는 등 적극적으로 참여해야 합니다. 또한, 다른 회원들의 글에 공감하거나, 칭찬을 해주면 상대방에게 호감을 줄 수 있습니다.

개인적인 정보를 공유하세요.

온라인 커뮤니티에서 관계를 구축하려면, 상대방에 대한 이해가 필요합니다. 따라서, 자신의 개인적인 정보를 공유함으로써 상대방에게 자신을 소개하고, 친근감을 줄 수 있습니다. 예를 들어, 자신의 취미나 특기, 일상 생활에 대한 이야기를 나누면 상대방과 더 가까워질 수 있습니다.

온라인 커뮤니티에서 관계를 구축하는 구체적인 예시

예시1) 요리 관련 커뮤니티에서 활동하는 A씨는 자신이 만든 요리 사진을 올렸습니다. B씨는 A씨의 요리 사진이 맛있어 보이면서도 멋있어 보인다며 칭찬을 해주었습니다. A씨는 B씨의 칭찬에 고마움을 느꼈고, B씨와 친해지기 위해 노력하기 시작했습니다. A씨는 B씨에게 요리 관련 질문을 하거나, 요리 레시피를 공유하며 B씨와 소통했습니다. 결국, A씨와 B씨는 온라인에서 좋은 친구가 되었습니다.

예시2) 게임 관련 커뮤니티에서 활동하는 C씨는 게임을 하다가 D씨와 함께 파티를 하게 되었습니다. C씨와 D씨는 게임을 하면서 서로의 실력과 게임에 대한 열정을 인정하게 되었고, 친해지기 시작했습니다. C씨와 D씨는 게임을 하면서 함께 이야기를 나누고, 게임에 대한 정보를 공유하며 소통했습니다. 결국, C씨와 D씨는 온라인에서 좋은 동료가 되었습니다.

온라인 커뮤니티에서 관계를 구축하는 데 있어 유의할 점

온라인상에서만 관계를 유지하지 마세요.

온라인 커뮤니티에서 만난 사람들과 오프라인에서 만나는 것도 좋은 방법입니다. 오프라인에서 만나면 상대방에 대한 이해를 더 깊게 할 수 있고, 친밀한 관계를 구축할 수 있습니다.

타인의 감정을 배려하세요.

온라인 커뮤니티에서는 오프라인보다 익명성이 높아서 타인의 감정을 배려하지 않는 경우가 종종 있습니다. 따라서, 자신의 말과 행동이 타인에게 어떻게 받아들여질지 생각하고, 타인의 감정을 배려하는 태도를 유지해야 합니다.

온라인 커뮤니티는 다양한 사람들과 교류하고, 새로운 지식을 얻을 수 있으며, 자신의 의견을 표현하고, 소속감을 느낄 수 있는 좋은 공간입니다. 온라인 커뮤니티에서 관계를 구축하기 위해서는 공통 관심사를 중심으로 소통하고, 적극적으로 참여하며, 개인적인 정보를 공유하는 것이 중요합니다. 또한, 온라인상에서만 관계를 유지하지 않고, 오프라인에서 만나는 것도 좋은 방법입니다.

# - 오프라인 행사에 참석하라

오프라인 행사는 다양한 사람들과 만나서 교류할 수 있는 좋은 기회입니다. 오프라인 행사에 참석하면 새로운 사람들을 만나서 관계를 구축할 수 있고, 자신의 분야에 대한 정보를 얻을 수 있으며, 새로운 기회를 얻을 수 있습니다. 특히, 오프라인 행사는 온라인 커뮤니티보다 더 친밀한 관계를 구축할 수 있다는 장점이 있습니다.

오프라인 행사에서 인맥을 관리하고 인적 네트워킹을 통해 얻을 수 있는 장점

새로운 사람들을 만나서 관계를 구축할 수 있습니다.

오프라인 행사에서는 다양한 분야의 사람들을 만나서 관계를 구축할 수 있습니다. 새로운 사람들을 만나면 새로운 정보를 얻고, 새로운 시각을 얻을 수 있으며, 새로운 기회를 얻을 수도 있습니다.

자신의 분야에 대한 정보를 얻을 수 있습니다.

오프라인 행사는 자신의 분야에 대한 정보를 얻을 수 있는 좋은 기회입니다. 같은 분야에 관심이 있는 사람들과 만나서 정보를 교류하면, 자신의 분야에 대한 지식을 넓힐 수 있습니다.

새로운 기회를 얻을 수 있습니다.

오프라인 행사에서는 새로운 기회를 얻을 수도 있습니다. 새로운 사람들을 만나서 인연을 맺으면, 취업, 창업, 사업, 투자 등 다양한 분야에서 새로운 기회를 얻을 수 있습니다.

오프라인 행사에서 인적 네트워킹을 적극 활용하는 방법

준비를 철저히 하세요.

오프라인 행사에 참석하기 전에, 행사의 목적과 내용을 파악하고, 참석할 만한 가치가 있는지 판단해야 합니다. 또한, 행사에서 어떤 사람들을 만나고 싶은지 생각하고, 그 사람들을 만날 수 있는 방법을 준비해야 합니다.

적극적으로 참여하세요.

오프라인 행사에서 인맥을 구축하기 위해서는 적극적으로 참여해야 합니다. 행사의 프로그램에 참여하고, 다른 사람들과 이야기를 나누며, 관계를 구축해야 합니다.

꾸준히 연락하세요.

오프라인 행사에서 만난 사람들과 꾸준히 연락을 하면, 관계를 지속할 수 있습니다. 행사 후 짧은 메시지를 보내거나, 전화를 걸어 안부를 묻는 등 지속적으로 연락을 하면, 상대방에게 좋은 인상을 줄 수 있습니다.

오프라인 행사에서 인적 네트워킹을 통해 얻은 구체적인 예시

예시1) A씨는 취업을 준비하고 있었습니다. A씨는 취업 관련 행사에 참석하여, 같은 분야에 관심이 있는 사람들을 만났습니다. A씨는 행사에서 만난 사람들과 이야기를 나누면서, 취업에 필요한 정보를 얻고, 새로운 인연을 맺을 수 있었습니다. 결국, A씨는 행사에서 만난 사람들의 도움으로 취업에 성공했습니다.

예시2) B씨는 창업을 준비하고 있었습니다. B씨는 창업 관련 행사에 참석하여, 다양한 분야의 사람들을 만났습니다. B씨는 행사에서 만난 사람들과 이야기를 나누면서, 창업 아이디어를 얻고, 사업에 필요한 정보를 얻을 수 있었습니다. 결국, B씨는 행사에서 만난 사람들의 도움으로 창업에 성공했습니다.

오프라인 행사는 다양한 사람들과 만나서 교류하고, 새로운 기회를 얻을 수 있는 좋은 기회입니다. 오프라인 행사에 참석하여, 적극적으로 인맥을 관리하고 인적 네트워킹을 통해 다양한 장점을 얻을 수 있기를 바랍니다.

# 07
# 데이터를 활용하여 분석하라

데이터는 퍼스널 브랜딩을 성공적으로 수행하기 위한 중요한 도구입니다. 데이터를 활용하여 자신의 강점과 약점, 목표와 비전을 파악하고, 이를 바탕으로 차별화된 깊이 있는 퍼스널 브

랜딩을 구축할 수 있습니다.

퍼스널 브랜딩을 위한 데이터는 크게 다음과 같은 종류로 나눌 수 있습니다.

자기소개서

자기소개서는 개인의 학력, 경력, 자격증, 수상경력, 특기, 관심사 등을 요약하여 작성한 문서입니다. 자기소개서는 개인의 역량과 잠재력을 보여주는 중요한 자료이기 때문에, 퍼스널 브랜딩을 위한 데이터로 활용하기에 적합합니다.

SNS 활동 지수

SNS 활동 지수에는 게시물 수, 좋아요 수, 댓글 수, 공유 수, 팔로워 수 등이 포함됩니다. SNS 활동 지수는 개인의 관심사, 활동 패턴, 커뮤니케이션 능력 등을 파악하는 데 도움이 됩니다.

포트폴리오

포트폴리오는 개인의 작품, 프로젝트, 활동 결과 등을 모아놓은 자료입니다. 포트폴리오는 개인의 전문성, 창의성, 실력을 보여주는 중요한 자료이기 때문에, 퍼스널 브랜딩을 위한 데이터로 활용하기에 적합합니다.

## 인맥

인맥은 개인이 가진 사람들과의 관계를 말합니다. 인맥은 개인의 영향력, 신뢰성, 네트워크 등을 파악하는 데 도움이 됩니다.

## 자기평가

자기평가는 개인이 스스로를 평가하는 과정입니다. 자기평가는 개인의 강점과 약점, 목표와 비전을 파악하는 데 도움이 됩니다.

데이터를 활용하여 퍼스널 브랜딩을 효과적으로 수행하기 위해서는 다음과 같은 방법을 고려할 수 있습니다.

데이터를 수집합니다.

데이터를 활용하기 위해서는 먼저 데이터를 수집해야 합니다. 데이터를 수집할 때에는 자신의 목표와 비전에 맞는 데이터를 수집하는 것이 중요합니다.

데이터를 정제합니다.

수집한 데이터는 정제해야 합니다. 데이터 정제를 통해 데이터의 오류를 제거하고, 품질을 높일 수 있습니다.

데이터를 분석합니다.

정제된 데이터를 분석하여 정보를 얻을 수 있습니다. 데이터 분석에는 다양한 기법이 사용될 수 있습니다.

데이터 분석에는 다양한 기법이 사용될 수 있습니다. 다음은 데이터 분석의 대표적인 기법 몇 가지입니다.

통계 분석

통계 분석은 데이터의 분포, 추세, 관계 등을 파악하는 데 사용되는 기법입니다.

텍스트 분석

텍스트 분석은 텍스트 데이터의 의미를 파악하는 데 사용되는 기법입니다.

이미지 분석

이미지 분석은 이미지 데이터의 의미를 파악하는 데 사용되는 기법입니다.

다음은 데이터를 활용하여 차별화된 깊이 있는 퍼스널 브랜딩을 구축한 사례입니다.

A씨는 SNS 활동 지수를 분석하여, 자신이 관심 있는 분야에 대한 정보를 제공하는 콘텐츠를 제작하기로 결정했습니다. A씨는 해당 분야에 대한 지식과 경험을 바탕으로, 블로그, 유튜브, 인스타그램 등을 통해 콘텐츠를 제작하고 공유했습니다. A씨의 콘텐츠는 해당 분야의 사람들에게 많은 관심을 받았고, A씨는 해당 분야의 전문가로서 인정받게 되었습니다.

B씨는 자기소개서를 분석하여, 자신의 강점과 약점을 파악했습니다. B씨는 자신의 강점인 창의성을 바탕으로, 새로운 아이디어를 제시하는 콘텐츠를 제작하기로 결정했습니다. B씨는 자신의 콘텐츠를 통해 독특한 이미지를 구축했고, 새로운 기회를 얻게 되었습니다.

데이터는 퍼스널 브랜딩을 성공적으로 수행하기 위한 중요한 도구입니다. 데이터를 활용하여 자신의 강점과 약점, 목표와 비전을 파악하고, 이를 바탕으로 차별화된 깊이 있는 퍼스널 브랜딩을 구축할 수 있습니다.

## - 데이터를 사용하여 자신의 성과를 평가하라

퍼스널 브랜딩을 성공적으로 수행하기 위해서는 자신의 성과를 객관적으로 평가하고, 이를 바탕으로 개선점을 찾아야 합니다. 데이터는 자신의 성과를 평가하는 데 유용한 도구가 될 수 있습니다.

데이터를 사용하여 자신의 성과를 평가하는 방법은 크게 다음과 같은 두 가지로 나눌 수 있습니다.

목표 대비 평가

목표 대비 평가는 자신의 목표를 기준으로 성과를 평가하는 방법입니다. 예를 들어, "1년 안에 100만 명의 팔로워를 확보하라

"는 목표를 세웠다면, 1년 후의 팔로워 수를 기준으로 성과를 평가할 수 있습니다.

경쟁 대비 평가

경쟁 대비 평가는 경쟁자와 비교하여 성과를 평가하는 방법입니다. 예를 들어, "해당 분야에서 가장 영향력 있는 인플루언서가 되라"는 목표를 세웠다면, 해당 분야의 다른 인플루언서들과 비교하여 성과를 평가할 수 있습니다.

데이터를 사용하여 자신의 성과를 평가하는 이점

객관적인 평가를 통해 자신의 강점과 약점을 파악할 수 있습니다.

데이터를 기반으로 평가를 수행하면, 주관적인 판단을 배제하고 객관적인 평가를 할 수 있습니다. 이를 통해 자신의 강점과 약점을 파악하고, 이를 바탕으로 성과를 향상시킬 수 있습니다.

개선점을 찾아서 성과를 향상시킬 수 있습니다.

데이터를 분석하면, 자신의 성과에 대한 문제점을 파악할 수 있습니다. 이를 바탕으로 개선점을 찾아서 성과를 향상시킬 수 있습니다.

목표 달성 가능성을 높일 수 있습니다.

데이터를 기반으로 목표를 설정하고, 이를 달성하기 위한 계획을 수립하면, 목표 달성 가능성을 높일 수 있습니다.

다음은 데이터를 사용하여 자신의 성과를 평가한 사례입니다.

A씨는 SNS 활동 지수를 분석하여, 자신의 콘텐츠가 많은 사람들에게 도달하고 있는지 파악했습니다. A씨는 자신의 콘텐츠가 도달 범위가 좁다는 것을 알게 되었고, 이를 개선하기 위해 새로운 채널을 활용하기로 결정했습니다.

B씨는 고객의 만족도 조사 데이터를 분석하여, 고객들이 불편하게 느끼는 부분을 파악했습니다. B씨는 고객들의 불편을 해소하기 위해 개선 계획을 수립했습니다.

C씨는 직원의 만족도 조사 데이터를 분석하여, 직원들이 업무에 만족하고 있는지 파악했습니다. C씨는 직원들의 만족도를 높이기 위해 근무 환경을 개선하기로 결정했습니다.

현재 트렌드를 반영하여 자신의 성과를 평가하기 위해서는 다음과 같은 사항을 고려할 수 있습니다.

온라인 데이터의 중요성

온라인 데이터는 자신의 성과를 평가하는 데 중요한 정보를 제공합니다. SNS 활동 지수, 고객의 만족도 조사 데이터, 사용자의 피드백 등 다양한 온라인 데이터를 활용하여 자신의 성과를 평가할 수 있습니다.

AI를 활용한 데이터 분석

AI를 활용한 데이터 분석은 데이터 분석의 효율성을 높이는 데 도움이 됩니다. AI를 활용하면, 대량의 데이터를 빠르고 정확하게 분석할 수 있습니다.

퍼스널 브랜딩을 성공적으로 수행하기 위해서는 자신의 성과를 객관적으로 평가하고, 이를 바탕으로 개선점을 찾아야 합니다. 데이터는 이러한 평가를 수행하는 데 유용한 도구가 될 수 있습니다.

## *- 데이터를 사용하어 전략을 개선하라*

퍼스널 브랜딩을 성공적으로 수행하기 위해서는 자신의 목표와 비전을 달성할 수 있는 전략을 수립하고, 이를 지속적으로 개선해야 합니다. 데이터는 전략을 개선하는 데 유용한 도구가 될 수 있습니다.

데이터를 사용하여 전략을 개선하는 방법에는 다음과 같은 것들이 있습니다.

1. 목표 달성률을 분석하여 전략을 조정한다.

퍼스널 브랜딩의 목표는 무엇인지, 그 목표를 달성하기 위한 전략은 무엇인지를 명확히 해야 합니다. 데이터를 사용하여 목표 달성률을 분석하면, 목표 달성률이 낮은 부분을 파악하고, 이를 개선하기 위한 전략을 수립할 수 있습니다.

예를 들어, "1년 안에 100만 명의 팔로워를 확보하라"는 목표를 세웠다면, 6개월마다 팔로워 수를 분석하여, 목표 달성률이 낮은 부분을 파악해야 합니다. 목표 달성률이 낮은 부분은 콘텐츠의 내용이나 형식, 마케팅 방법 등이 원인일 수 있습니다. 이를 개선하기 위해 콘텐츠의 내용을 다양화하거나, 새로운 마케팅 방법을 시도하는 등의 전략을 수립할 수 있습니다.

2. 경쟁자의 전략을 분석하여 자신의 전략을 보완한다.

동일한 분야에서 활동하는 경쟁자의 전략을 분석하면, 자신의 전략을 보완할 수 있는 아이디어를 얻을 수 있습니다. 경쟁자의 전략을 분석할 때에는 다음과 같은 사항에 주목해야 합니다.

경쟁자의 목표와 비전은 무엇인지

경쟁자의 전략은 무엇인지

경쟁자의 전략이 성공적인 이유는 무엇인지

예를 들어, 동일한 분야의 인플루언서가 새로운 콘텐츠 형식을 도입하여 성공을 거둔다면, 이를 참고하여 자신의 콘텐츠 형식을 다양화하는 등의 전략을 수립할 수 있습니다.

3. 고객의 의견을 수렴하여 고객 중심의 전략을 수립한다.

고객의 의견을 수렴하여 고객 중심의 전략을 수립하면, 고객의 요구를 충족시켜 퍼스널 브랜딩의 성공 가능성을 높일 수 있습니다. 고객의 의견을 수렴할 때에는 다음과 같은 방법을 활용할 수 있습니다.

설문조사

인터뷰

SNS를 통한 의견 수렴

예를 들어, 자신의 콘텐츠에 대한 고객의 의견을 수렴하여, 고객이 관심을 가질 만한 콘텐츠를 제작하는 등의 전략을 수립할 수 있습니다.

데이터를 사용하여 전략을 개선하는 것은 퍼스널 브랜딩을 성공적으로 수행하기 위한 중요한 과정입니다. 데이터를 기반으로 목표 달성률을 분석하고, 경쟁자의 전략을 분석하며, 고객의 의견을 수렴하여, 자신의 전략을 지속적으로 개선해야 합니다.

# 08
# 실패를 두려워하지 마라

실패를 두려워하는 것은 누구나 가질 수 있는 자연스러운 감정입니다. 하지만 실패를 두려워하면, 새로운 도전을 하기 어려워지고, 결국에는 성장할 수 없게 됩니다.

## - 실패는 성공의 과정의 일부이다

실패는 성공의 과정의 일부입니다. 누구나 실패를 경험합니다. 실패를 통해서 우리는 다음에 어떻게 해야 할지 배울 수 있습니다. 실패를 두려워하지 않고, 실패에서 배우는 자세를 가지면, 결국에는 성공할 수 있습니다.

## - 실패에서 배우고 성장하라

실패를 두려워하지 않으려면, 실패에서 배우는 자세를 가져야 합니다. 실패를 통해서 무엇을 잘못했는지, 무엇을 개선해야 하는지 파악해야 합니다. 실패에서 배우지 못하면, 같은 실수를 반복할 수밖에 없습니다.

실패에서 배우기 위해서는 다음과 같은 방법을 실천할 수 있습니다.

실패의 원인을 분석한다.

실패를 통해서 무엇이 잘못되었는지, 무엇이 부족했는지 분석해야 합니다. 실패의 원인을 분석하면, 다음에 어떻게 해야 할지 알 수 있습니다.

실패에 대한 객관적인 평가를 한다.

실패를 겪으면, 누구나 자책감이나 좌절감을 느끼기 쉽습니다. 하지만 실패에 대한 객관적인 평가를 통해서, 실패의 원인을 정확히 파악해야 합니다.

실패를 자신에게 던지는 도전으로 받아들인다.

실패를 두려워하기보다는, 자신에게 던지는 도전으로 받아들여야 합니다. 실패를 통해서 성장할 수 있다는 자신감을 가지면, 실패를 두려워하지 않을 수 있습니다.

구체적인 사례

실패를 두려워하지 않고, 실패에서 배우는 자세를 통해 성공한 사례는 많이 있습니다.

빌 게이츠는 어린 시절부터 사업에 관심이 많았지만, 여러 번의 사업 실패를 경험했습니다. 하지만 실패에서 배우는 자세를 통해서, 결국에는 세계적인 기업인으로 성공했습니다.

스티브 잡스는 대학을 중퇴하고, 애플을 창업했지만, 첫 번째 애플은 경영난으로 인해 파산했습니다. 하지만 실패에서 배우는 자세를 통해서, 새로운 애플을 창업하여, 세계적인 기업으로 성장시켰습니다.

유재석은 데뷔 초기에 많은 실패를 경험했습니다. 하지만 실패에서 배우는 자세를 통해서, 현재 대한민국 최고의 MC로 자리매김했습니다.

실천 방법

실패를 두려워하지 않으려면, 다음과 같은 방법을 실천할 수 있습니다.

실패를 두려워하지 않는 마음을 가지자.

실패를 두려워하는 마음은 누구나 가지고 있습니다. 하지만 실패를 두려워하지 않는 마음을 가지기 위해 노력해야 합니다. 실패를 두려워하지 않는 마음은 실패를 두려워하지 않기 위한 첫걸음입니다.

실패에서 배우는 자세를 가지자.

실패를 통해서 무엇을 잘못했는지, 무엇을 개선해야 하는지 배우는 자세를 가지면, 실패를 두려워하지 않을 수 있습니다. 실패에서 배우는 자세는 실패를 성공의 과정의 일부로 받아들일 수 있게 해줍니다.

실패를 자신에게 던지는 도전으로 받아들이자.

실패를 두려워하기보다는, 자신에게 던지는 도전으로 받아들이면, 실패를 두려워하지 않을 수 있습니다. 실패를 도전으로 받아들이면, 실패를 통해서 성장할 수 있다는 자신감을 가질 수 있습니다.

실패를 두려워하지 않으려면, 실패는 성공의 과정의 일부라는 사실을 잊지 말고, 실패에서 배우는 자세를 가지는 것이 중요합니다. 실패를 두려워하지 않고, 실패에서 배우는 자세를 가지고 있다면, 누구나 성공할 수 있습니다.

# 09
# 퍼스널 브랜딩의 성공 사례

## - 퍼스널 브랜딩의 성공사례 분석

퍼스널 브랜딩은 자신의 이름, 이미지, 가치관 등을 통해 타인에게 긍정적인 인식을 심어주고, 이를 통해 자신의 목표를 달성하는 과정을 말합니다. 퍼스널 브랜딩을 성공적으로 수행하면, 개인의 영향력을 확대하고, 다양한 기회를 얻을 수 있습니다.

퍼스널 브랜딩의 성공 사례는 다양한 분야에서 찾아볼 수 있습니다. 다음은 그 중 몇 가지를 살펴보겠습니다.

## 1. 기업가

기업가들은 퍼스널 브랜딩을 통해 자신의 사업을 성공적으로 이끌고 있습니다. 예를 들어, 빌 게이츠는 마이크로소프트의 창업자이자 최고경영자로서, 세계적인 기업가로 자리매김했습니다. 그는 탁월한 경영 능력과 혁신적인 사고로 성공을 거두었지만, 그에 못지않게 퍼스널 브랜딩을 통해 자신의 이미지를 구축한 것도 성공의 요인으로 꼽힙니다. 빌 게이츠는 젊은 시절부터 성공에 대한 열정과 도전 정신을 보여주었고, 이를 통해 사람들에게 긍정적인 인식을 심어주었습니다. 또한, 그는 자선 활동에 적극적으로 참여하여, 사회에 공헌하는 기업가로서의 이미지를 구축했습니다.

## 2. 전문가

전문가들은 퍼스널 브랜딩을 통해 자신의 전문성을 알리고, 더 많은 기회를 얻고 있습니다. 예를 들어, 김연아는 뛰어난 실력과 우아한 이미지로 세계적인 스타가 된 인물입니다. 그녀는 2010년 밴쿠버 동계올림픽에서 금메달을, 2014년 소치 동계올림픽에서 은메달을 획득하며 한국의 국민영웅으로 자리매김했습니다. 또한, 그녀는 피겨계의 전설로 불리며 전 세계적으로 많은 사랑을 받고 있습니다.

김연아가 이러한 성공을 거둘 수 있었던 데에는 그녀의 퍼스널 브랜딩 전략이 크게 기여했다고 평가를 받습니다. 그녀는 뛰어난 실력은 물론, 겸손하고 성실한 태도, 그리고 선한 영향력으로 대중의 마음을 사로잡았습니다. 이러한 이미지는 그녀의 퍼스널 브랜딩을 통해 구축된 것으로 볼 수 있습니다.

## 3. 예술가

예술가들은 퍼스널 브랜딩을 통해 자신의 작품을 알리고, 대중과 소통하고 있습니다. 예를 들어, BTS는 전 세계적으로 인기를 끌고 있는 K-POP 그룹입니다. 그들은 뛰어난 음악 실력과 퍼포먼스, 개성 넘치는 매력으로 많은 사람들의 사랑을 받고 있습니다. 또한, 그들은 다양한 사회 문제에 대한 관심을 표현하고, 이를 통해 사회적 책임을 다하는 예술가로서의 이미지를 구축하고 있습니다.

이외에도 퍼스널 브랜딩을 성공적으로 수행한 사례는 다양하게 찾아볼 수 있습니다. 퍼스널 브랜딩의 성공 사례를 분석하면, 다음과 같은 공통점을 발견할 수 있습니다.

## 명확한 목표 설정

퍼스널 브랜딩을 시작하기 위해서는 먼저 자신의 목표를 명확하게 설정해야 합니다. 목표가 명확해야 퍼스널 브랜딩의 방향을 설정하고, 이를 달성하기 위한 전략을 수립할 수 있습니다.

차별화된 이미지 구축

퍼스널 브랜딩을 통해 성공하기 위해서는 타인과 차별화된 이미지를 구축해야 합니다. 자신의 강점과 가치관을 바탕으로 자신만의 독특한 이미지를 만들어야 합니다.

꾸준한 노력

퍼스널 브랜딩은 단기간에 이루어지는 것이 아닙니다. 꾸준한 노력과 실행을 통해 자신의 브랜드를 구축해야 합니다.

퍼스널 브랜딩은 누구나 할 수 있는 일입니다. 자신의 강점과 가치관을 바탕으로 자신만의 브랜드를 구축하기 위해 노력한다면, 누구나 성공할 수 있습니다.

# 10
# 지속 가능한 성장을 추구하라

# - 단기적인 성공에만 집중하지 마라

단기적인 성공은 당장의 기쁨과 만족을 가져다주지만, 장기적으로는 오히려 독이 될 수 있습니다. 단기적인 성공에만 집중했을 때의 문제점과 단기적인 성공에만 집중하지 말아야 할 이유에 대해 알아보겠습니다.

단기적인 성공에만 집중했을 때의 문제점

실질적인 발전이 없다. 단기적인 성공은 단순히 외적인 결과에 불과합니다. 실질적인 발전이 없다면, 단기적인 성공을 거두었다고 해도 장기적으로는 지속될 수 없습니다.

지속적인 성장이 어렵다. 단기적인 성공에만 집중하다 보면, 새로운 도전이나 변화를 두려워하게 됩니다. 이러한 태도는 지속적인 성장을 어렵게 만듭니다.

실패에 대한 두려움이 커진다. 단기적인 성공에만 집중하다 보면, 실패에 대한 두려움이 커집니다. 이러한 두려움은 도전과 성장을 가로막는 장애물이 됩니다.

단기적인 성공에만 집중하지 말아야 할 이유

장기적인 성공을 위해서는 실질적인 발전이 필요하다. 단기적인 성공을 이루기 위해서는 단순히 외적인 결과에만 집중하면 됩니다. 하지만, 장기적인 성공을 위해서는 실질적인 발전이 필요합니다. 이를 위해서는 끊임없는 노력과 도전이 필요합니다.

지속적인 성장을 위해서는 새로운 도전과 변화가 필요하다. 단기적인 성공에만 집중하다 보면, 새로운 도전이나 변화를 두려워하게 됩니다. 하지만, 지속적인 성장을 위해서는 새로운 도전과 변화가 필요합니다.

실패를 통해 성장할 수 있다. 실패는 두려운 것이 아니라, 성장의 기회입니다. 실패를 통해서 자신의 부족한 점을 발견하고, 이를 보완함으로써 더욱 성장할 수 있습니다.

단기적인 성공은 당장의 기쁨과 만족을 가져다주지만, 장기적으로는 오히려 독이 될 수 있습니다. 단기적인 성공에만 집중하지 말고, 실질적인 발전과 지속적인 성장을 위한 노력을 기울여야 합니다.


## - 장기적인 목표를 설정하고 실천하라


장기적인 목표를 설정하고 실천하는 것은 인생에서 성공하기 위한 중요한 요소입니다. 장기적인 목표는 단기적인 목표와 달리, 1년 이상, 혹은 그 이상의 기간을 두고 달성해야 하는 목표입니다. 따라서 단기적인 목표보다 더 구체적이고 현실적인 목표를 설정하고, 이를 실천하기 위한 계획을 세우는 것이 중요합니다.

## 장기적인 목표를 설정하는 구체적인 방법

자신의 강점과 가치관을 파악하라.

장기적인 목표를 설정하기 위해서는 먼저 자신의 강점과 가치관을 파악하는 것이 중요합니다. 자신의 강점은 자신이 잘하고, 즐기는 분야를 의미합니다. 가치관은 자신의 삶에서 중요한 기준과 원칙을 의미합니다. 자신의 강점과 가치관을 파악하면, 자신에게 맞는 장기적인 목표를 설정할 수 있습니다.

예시1)

자신의 강점: 글쓰기, 말하기, 공부하기

자신의 가치관: 남을 돕는 것, 새로운 것을 배우는 것

장기적인 목표: 대학교 교수가 되기, 봉사단체를 설립하기, 새로운 분야의 전문가가 되기

현실적인 목표를 설정하라.

장기적인 목표는 현실적이어야 합니다. 너무 거창한 목표를 설정하면, 도전 의욕을 떨어뜨리고 실패로 이어질 수 있습니다. 자신의 능력과 상황에 맞는, 도달 가능한 목표를 설정하는 것이 중요합니다.

예시2)

목표: 1년 내에 10kg 감량하기

현실적인 목표: 1개월 내에 2kg 감량하기

구체적인 목표를 설정하라.

장기적인 목표는 구체적이어야 합니다. 막연한 목표는 실천하기 어렵습니다. 목표를 달성하기 위한 구체적인 계획을 세우고, 이를 실천해야 합니다.

예시3)

목표: 1년 내에 외국어를 능숙하게 구사하기

구체적인 목표: 1개월 내에 100개의 단어를 암기하기, 3개월 내에 간단한 회화를 할 수 있게 되기

장기적인 목표를 실천하기 위해서는 다음과 같은 방법을 실천하는 것이 좋습니다.

목표를 꾸준히 유지하라.

장기적인 목표는 단기간에 달성하기 어렵습니다. 따라서 꾸준히 노력하고 실천하는 것이 중요합니다. 목표를 달성하기 위한 계획을 세우고, 이를 매일매일 실천하는 습관을 들이는 것이 좋습니다.

예시1)

매일 아침 30분씩 영어 공부하기

일주일에 2번 이상 헬스장에 가기

실패를 두려워하지 마라.

장기적인 목표를 달성하는 과정에서 실패는 당연히 발생합니다. 실패를 두려워하지 말고, 이를 통해서 배우고 성장하는 기회로 삼는 것이 중요합니다. 실패를 통해서 자신의 부족한 점을 발견하고, 이를 보완하기 위한 노력을 기울여야 합니다.

예시2)

영어 공부를 하다가 모르는 단어가 나오면, 그 단어를 찾아보고 암기하기

헬스장에서 운동하다가 힘들어서 포기하고 싶을 때, 잠시 휴식을 취한 후 다시 운동하기

다른 사람의 도움을 받아라.

장기적인 목표를 달성하기 위해서는 혼자서 하는 것보다 다른 사람의 도움을 받는 것이 좋습니다. 목표를 공유하고 함께 노력하는 동반자를 찾는 것도 좋은 방법입니다. 또한, 전문가의 도움을 받아서 목표를 달성하는 방법에 대한 조언을 받을 수도 있습니다.

예시3)

영어 공부를 함께 하는 친구나 동아리 모임에 가입하기

헬스장에서 트레이너에게 도움을 받기

장기적인 목표를 설정하고 실천하는 것은 인생에서 성공하기 위한 중요한 요소입니다. 구체적이고 현실적인 목표를 설정하고, 이를 꾸준히 실천하는 습관을 들인다면, 누구나 원하는 목표를 달성할 수 있을 것입니다.

장기적인 목표를 설정하고 실천하는 것은 쉽지 않습니다. 하지만, 그만큼 보람도 큰 일입니다. 장기적인 목표를 달성하기 위해서는 다음과 같은 점을 명심해야 합니다.

목표를 설정하는 것은 시작에 불과하다. 목표를 설정하는 것은 중요하지만, 그보다 더 중요한 것은 목표를 실천하는 것입니다.

실패는 성공의 과정이다. 장기적인 목표를 달성하는 과정에서 실패는 당연히 발생합니다. 실패를 두려워하지 말고, 이를 통해서 배우고 성장하는 기회로 삼으세요.

다른 사람의 도움을 받을 수 있다. 혼자서 목표를 달성하는 것은 쉽지 않습니다. 다른 사람의 도움을 받으면, 목표를 달성하는 데 도움이 될 수 있습니다.

장기적인 목표를 설정하고 실천하는 것은 인생에서 가장 중요한 도전 중 하나입니다. 이 도전을 통해서, 우리는 성장하고 발전할 수 있습니다.

# 11
# 결론

# - 퍼스널 브랜딩은 삶의 여정이다

퍼스널 브랜딩은 단순한 디지털 존재감을 넘어 삶의 구조와 얽혀 있는 심오한 과정입니다. 피상적인 지표가 진정한 관계를 가리는 경우가 많은 디지털 시대의 상호 연결된 영역에서 퍼스널 브랜딩의 본질은 진정성과 의미 있는 영향력을 추구하는 삶의 여정이 됩니다.

개인 브랜딩을 시작할 때는, 성공에 대한 생각을 바꿔야 합니다. 팔로워 수를 늘리는 것만이 성공이라고 생각하는 것은 잘못된 생각입니다. 진정한 성공은 사람들과의 진정한 관계를 맺는 것입니다. 이는 양적인 성장이 아니라, 사람들의 마음에 깊은 울림을 주는 영향력입니다..

진정성은 자신의 길을 찾는 데 도움이 됩니다. 선별된 페르소나의 모습만을 보여주는 세상에서 진정성은 더욱 매력적입니다. 디지털 공간에서 진정한 관계를 형성하는 것은 필터링되지 않은 날것 그대로의 자아 표현입니다. 개인 브랜딩은 자신의 진짜 모습을 보여주고, 이를 바탕으로 사람들과 진정한 관계를 맺는 과정입니다.

디지털 시대에는 단순한 자기 홍보를 넘어서는 내러티브가 필요합니다. 독자의 마음을 사로잡고 공감을 불러일으키며 지울 수 없는 흔적을 남기는 스토리를 갈망합니다. 이러한 내러티브를 만드는 것은 예술의 한 형태이며, 방대한 디지털 환경에서 고유한 브랜드를 만들고자 하는 사람들에게는 필수적인 기술입니다.

개인 브랜딩은 단순히 소셜 미디어에서만 하는 일이 아닙니다. 다양한 플랫폼을 통해 자신의 존재감을 드러내야 합니다. 블로그, 인스타그램, 유튜브 등 다양한 매체를 활용하여 자신의 강점과 가치관을 알리고, 많은 사람들과 소통해야 합니다. 이를 통해 자신의 브랜드를 더욱 풍성하고 매력적으로 만들 수 있습니다.

개인 브랜딩을 시작하기 위해서는 콘텐츠 제작이 필수입니다. 하지만, 단순히 클릭을 유도하는 콘텐츠를 만드는 것이 아니라, 디지털 커뮤니티에 진정한 가치를 더하는 콘텐츠를 만들어야 합니다. 일시적인 유행에 편승하는 것이 아니라, 시간이 지나도 가치를 잃지 않는 콘텐츠를 만들어야 합니다. 또한, 각 분야의 담론에 의미 있는 기여를 하는 사고의 리더가 되기 위해 노력해야 합니다.

개인 브랜딩을 하다 보면 비판과 논쟁을 마주하게 됩니다. 하지만, 이러한 도전을 피하지 말고 우아하게 헤쳐나가야 합니다. 역경을 극복하는 과정은 개인의 회복탄력성을 증명하는 것이며, 이를 통해 개인 브랜드는 더욱 견고해집니다.

개인 브랜딩은 혼자서 하는 것이 아닙니다. 협업과 네트워킹을 통해 다른 사람들과 함께하는 것이 중요합니다. 같은 생각을 가진 사람들과의 동맹을 통해 서로 성장하고 지원할 수 있습니다. 이는 다양성과 공유된 열망을 기념하는 일이며, 온라인 커뮤니티의 활력을 높이는 데 기여합니다.

예를 들어, 같은 분야에 관심을 가진 사람들과 함께 콘텐츠를 제작하거나, 서로의 강점을 활용하여 공동 프로젝트를 진행할 수 있습니다. 또한, 온라인 커뮤니티에서 다른 사람들과 교류하고, 피드백을 받아 자신의 브랜드를 발전시킬 수 있습니다.

협업과 네트워킹은 개인 브랜딩의 영향력을 증폭시키고, 온라인 커뮤니티의 활력을 높이는 데 기여합니다. 따라서, 개인 브랜딩을 하는 사람들은 적극적으로 협업과 네트워킹을 통해 다른 사람들과 함께하는 것을 추천합니다.

개인 브랜딩을 통해 디지털 태피스트리를 구축할 때는, 측정 지표를 신중하게 고려해야 합니다. 단순한 숫자만으로는 자신의 브랜드가 얼마나 성공하고 있는지 알 수 없습니다. 의미 있는 지표는 자신의 브랜드가 올바른 방향으로 나아가고 있는지 알려주는 나침반 역할을 합니다.

따라서, 개인 브랜딩을 하는 사람들은 자신의 목표에 부합하는 지표를 식별하고 추적해야 합니다. 예를 들어, 팔로워 수, 조회 수, 클릭률, 구매 전환율 등은 일반적인 측정 지표입니다. 하지만, 이러한 지표만으로 개인 브랜드의 영향력을 제대로 측정하기는 어렵습니다.

개인 브랜딩의 진정한 성공은 개인과 잠재고객에게 가져오는 긍정적인 변화에 있습니다. 따라서, 개인 브랜딩을 하는 사람들은 이러한 변화를 측정할 수 있는 지표를 개발하고 추적해야 합니다. 예를 들어, 브랜드 인지도, 신뢰도, 고객 만족도, 사회적 영향력 등은 개인 브랜딩의 영향력을 측정하는 데 도움이 되는 지표입니다.

결론적으로, 퍼스널 브랜딩은 목적지가 아니라 평생의 여정입니다. 이 여정은 팔로워를 넘어 진정성, 스토리텔링, 협업, 의미 있는 영향력을 탐구하는 것입니다. 개인의 삶과 디지털 삶을 하나의 태피스트리로 엮어, 디지털 시대의 피상적인 지표를 넘어서는 공감과 영향력을 만들어가는 것입니다.


# - 계속 배우고 성장하라


개인 브랜딩은 자신의 강점과 가치를 바탕으로 타인에게 인식되고 인정받는 과정입니다. 따라서, 개인 브랜딩을 위해서는 자신의 역량을 지속적으로 개발하고 성장시키는 것이 중요합니다.

1. 자기 발견과 성장을 위한 노력

퍼스널 브랜딩의 첫 번째 단계는 자기 발견과 성장을 위한 노력입니다. 자신의 강점과 가치를 이해하고, 이를 바탕으로 개인 브랜드의 목표와 방향을 설정해야 합니다.

자기 발견과 성장을 위해서는 다음과 같은 노력을 기울일 수 있습니다.

자기 분석 : 자신의 강점과 약점, 가치관, 관심사 등을 객관적으로 분석합니다.

경험과 도전 : 새로운 경험과 도전을 통해 자신의 가능성을 탐구합니다.

전문가의 조언 : 전문가의 조언을 통해 자신의 역량을 발전시킵니다.

예를 들어, 자신이 글쓰기에 재능이 있다는 것을 발견한 사람이라면, 글쓰기 관련 강의를 수강하거나 글쓰기 모임에 참여하여 글쓰기 실력을 향상시킬 수 있습니다. 또한, 자신이 사회 문제에 관심이 많다는 것을 발견한 사람이라면, 사회 문제 해결을 위한 활동을 통해 자신의 가치관을 확립하고, 사회에 기여할 수 있는 방법을 모색할 수 있습니다.

2. 지속적인 학습과 성장

개인 브랜딩은 한 번으로 끝나는 것이 아니라, 지속적으로 학습하고 성장하는 과정입니다. 세상은 빠르게 변화하고 있으며,

새로운 지식과 기술이 끊임없이 등장하고 있습니다. 따라서, 개인 브랜딩을 위해서는 새로운 지식과 기술을 습득하고, 자신의 역량을 업데이트하는 것이 중요합니다.

지속적인 학습과 성장을 위해서는 다음과 같은 노력을 기울일 수 있습니다.

책 읽기 : 다양한 분야의 책을 읽고, 새로운 지식을 습득합니다.

온라인 강의 수강: 온라인 강의를 통해 원하는 분야의 지식을 배울 수 있습니다.

세미나 참석 : 세미나에 참석하여 전문가의 강의를 듣고, 최신 정보를 얻을 수 있습니다.

실무 경험 쌓기 : 실무 경험을 통해 새로운 기술을 습득하고, 역량을 검증할 수 있습니다.

예를 들어, 요리사가 자신의 요리 실력을 향상시키기 위해서는 새로운 요리법을 익히거나, 다양한 재료와 조리법을 실험해볼 수 있습니다. 또한, 웹 디자이너가 자신의 디자인 실력을 향상시키기 위해서는 새로운 디자인 트렌드를 연구하거나, 다른 디자이너의 작품을 분석할 수 있습니다.

3. 협업과 네트워킹

협업과 네트워킹은 개인 브랜딩을 위한 또 다른 중요한 요소입니다. 다른 사람들과 협력하고, 네트워크를 구축함으로써 새로운 지식과 기술을 습득하고, 자신의 역량을 확장할 수 있습니다.

협업과 네트워킹을 위해서는 다음과 같은 노력을 기울일 수 있습니다.

동종 업계 사람들과의 교류: 동종 업계 사람들과 교류하여, 새로운 정보를 얻고, 네트워크를 구축할 수 있습니다.

전문가들과의 협업 : 전문가들과 협력하여, 새로운 지식과 기술을 습득할 수 있습니다.

온라인 커뮤니티 참여 : 온라인 커뮤니티에 참여하여, 다양한 사람들과 교류하고, 자신의 역량을 알릴 수 있습니다.

예를 들어, 소셜 미디어 마케팅 전문가가 자신의 역량을 향상시키기 위해서는 소셜 미디어 마케팅 관련 동호회에 가입하거나, 소셜 미디어 마케팅 분야의 전문가와 협업할 수 있습니다. 또한, 스타트업 창업가가 자신의 비즈니스 아이디어를 구체화하기 위해서는 같은 분야의 창업가들과 네트워킹을 구축할 수 있습니다.

퍼스널 브랜딩은 평생의 여정입니다. 따라서, 지속적으로 배우고 성장하는 자세가 중요합니다. 자기 발견과 성장을 위한 노력, 지속적인 학습과 성장, 협업과 네트워킹을 통해 자신의 역량을 개발하고, 개인 브랜딩을 성공적으로 이끌 수 있기를 바랍니다.

구체적인 예시를 들어보겠습니다.

자기 분석 : MBTI 성격 검사, 강점 검사

MBTI 성격 검사는 Myers-Briggs Type Indicator의 약자로, 사람의 성격을 16가지 유형으로 분류하는 검사입니다. MBTI 성격 검사를 통해 자신의 성격 유형을 파악하면, 자신의 강점과 약점을 이해하는 데 도움이 될 수 있습니다.

강점 검사는 자신의 강점과 약점을 파악하기 위한 검사입니다. 강점 검사를 통해 자신의 강점을 발견하면, 이를 바탕으로 개인 브랜드를 구축할 수 있습니다.

경험과 도전 : 새로운 경험과 도전

새로운 경험과 도전을 통해 자신의 가능성을 탐구할 수 있습니다. 예를 들어, 여행을 통해 새로운 문화를 경험하거나, 새로운 취미를 시작하여 자신의 관심사를 넓힐 수 있습니다.

전문가의 조언 : 전문가의 조언

전문가의 조언을 통해 자신의 역량을 발전시킬 수 있습니다. 예를 들어, 취업 상담사에게 취업 준비에 대한 조언을 구하거나, 코치에게 개인 브랜딩에 대한 조언을 구할 수 있습니다.

**지속적인 학습과 성장**

책 읽기 : 다양한 분야의 책 읽기

다양한 분야의 책을 읽으면, 새로운 지식을 습득하고, 사고의 폭을 넓힐 수 있습니다. 또한, 책을 통해 다른 사람들의 경험과 생각을 공유할 수 있습니다.

온라인 강의 수강 : 원하는 분야의 지식 습득

온라인 강의를 통해 원하는 분야의 지식을 배울 수 있습니다. 온라인 강의는 시간과 장소에 구애받지 않고, 원하는 시간에 원하는 내용을 학습할 수 있다는 장점이 있습니다.

세미나 참석 : 전문가의 강의 듣기

세미나에 참석하여 전문가의 강의를 들으면, 최신 정보를 얻고, 새로운 지식을 습득할 수 있습니다. 또한, 세미나를 통해 다른 사람들과 교류하고, 네트워킹을 구축할 수 있습니다.

실무 경험 쌓기 : 실무 경험을 통해 새로운 기술 습득

실무 경험을 통해 새로운 기술을 습득하고, 역량을 검증할 수 있습니다. 예를 들어, 인턴십이나 아르바이트를 통해 실무 경험을 쌓을 수 있습니다.

**협업과 네트워킹**

동종 업계 사람들과의 교류 : 새로운 정보 얻고, 네트워크 구축

동종 업계 사람들과 교류하면, 새로운 정보를 얻고, 네트워크를 구축할 수 있습니다. 예를 들어, 동호회나 모임에 참여하여 동

종 업계 사람들과 교류할 수 있습니다.

전문가들과의 협업 : 새로운 지식과 기술 습득

전문가들과 협업하면, 새로운 지식과 기술을 습득할 수 있습니다. 예를 들어, 프로젝트를 진행하거나, 공동 연구를 통해 전문가들과 협업할 수 있습니다.

온라인 커뮤니티 참여: 다양한 사람들과 교류하고, 자신의 역량 알리기

온라인 커뮤니티에 참여하면, 다양한 사람들과 교류하고, 자신의 역량을 알릴 수 있습니다. 예를 들어, 블로그나 SNS를 통해 자신의 생각과 경험을 공유할 수 있습니다.

위의 내용들은 퍼스널 브랜딩을 위한 지속적인 학습과 성장을 위한 구체적인 예시입니다. 자신의 상황에 맞는 방법을 선택하여, 지속적으로 배우고 성장함으로써 개인 브랜딩을 성공적으로 이끌 수 있기를 바랍니다.